D1244014

INSECTOS FASCINANTES

# Los escarabajos Goliat

Aaron Carr

SPANISH & ENGLISH eBOOKS
AV2 BY WEIGL
ADDED VALUE • AUDIO VISUAL
www.av2books.com

**Visita nuestro sitio www.av2books.com e ingresa el código único del libro.**
Go to www.av2books.com, and enter this book's unique code.

**CÓDIGO DEL LIBRO**
BOOK CODE

**M127366**

**AV² de Weigl te ofrece enriquecidos libros electrónicos que favorecen el aprendizaje activo.**
AV² by Weigl brings you media enhanced books that support active learning.

**El enriquecido libro electrónico AV² te ofrece una experiencia bilingüe completa entre el inglés y el español para aprender el vocabulario de los dos idiomas.**
This AV² media enhanced book gives you a fully bilingual experience between English and Spanish to learn the vocabulary of both languages.

Spanish

English

## Navegación bilingüe AV²
AV² Bilingual Navigation

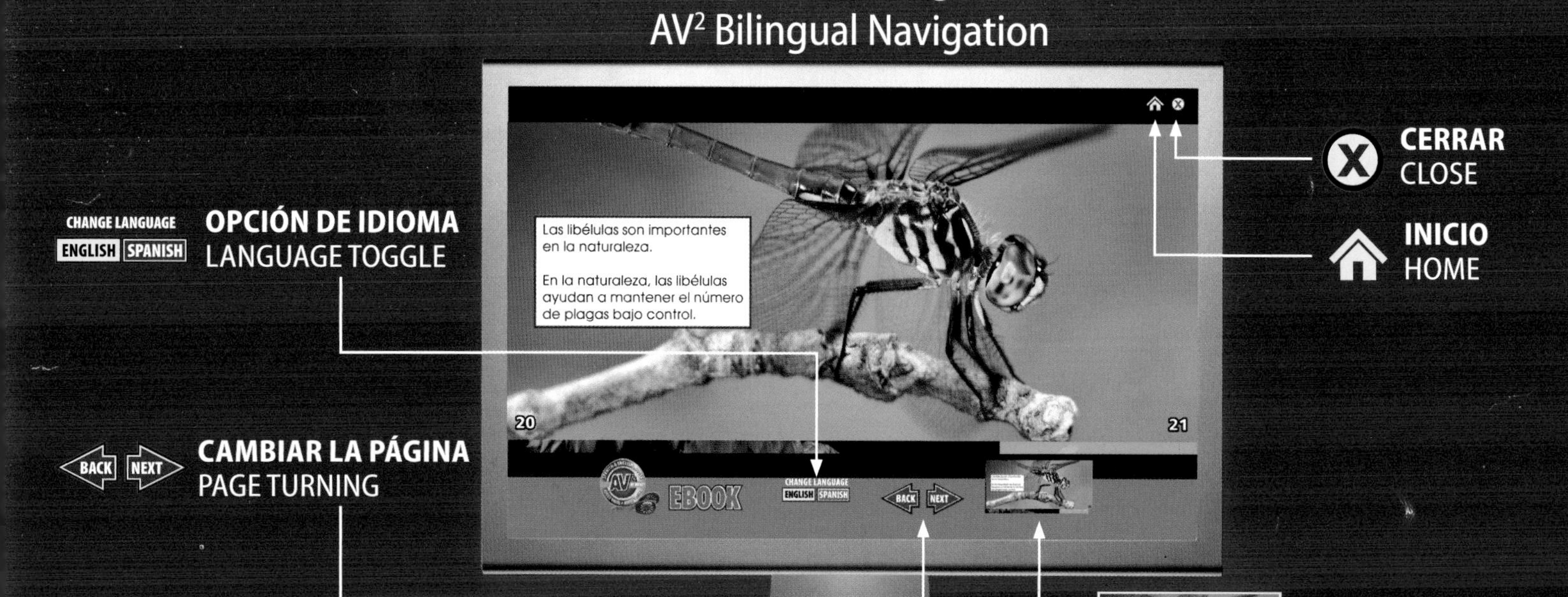

# Los escarabajos Goliat

## CONTENIDO

Conoce al escarabajo Goliat.

Los escarabajos Goliat son
insectos de gran tamaño.
Son uno de los insectos
más grandes del mundo.

Los escarabajos Goliat viven en África.

En África, los escarabajos Goliat viven en la selva.

7

Los escarabajos Goliat parecen babosas grandes cuando son jóvenes.

Cuando son jóvenes, los escarabajos Goliat se cubren con tierra. Permanecen en la tierra mientras se convierten en adultos.

Los escarabajos Goliat tienen caparazones coloridos.

Sus caparazones coloridos
los mantienen seguros.

Los escarabajos Goliat
tienen garras filosas.

Sus garras filosas les ayudan a trepar árboles.

Los escarabajos Goliat
vuelan con sus grandes alas.

Sus grandes alas se pueden doblar y ocultar dentro de sus caparazones.

Los escarabajos Goliat tienen cabezas puntiagudas.

Sus cabezas puntiagudas ayudan a las personas a diferenciar a los machos de las hembras.

Los escarabajos Goliat comen savia de los árboles y frutos.

Comer savia de los árboles y frutos ayuda a los escarabajos Goliat a mantenerse saludables.

Los escarabajos Goliat también se alimentan de plantas muertas.

Comiendo plantas muertas los escarabajos Goliat ayudan a mantener los bosques saludables.

21

# DATOS DE LOS ESCARABAJOS GOLIAT

Estas páginas proveen más detalles acerca de los datos interesantes que se encuentran en el libro. Están destinadas a ser utilizadas por adultos como apoyo de aprendizaje para ayudar a los jóvenes lectores con sus conocimientos de cada insecto o arácnido presentado en la serie *Insectos Fascinantes*.

**Páginas 4–5**

**Los escarabajos Goliat son insectos de gran tamaño.** Los insectos tienen seis patas articuladas y cuerpos de tres partes: la cabeza, el tórax y el abdomen. Los insectos poseen tejidos externos llamados exoesqueletos. Hay cinco species de escarabajos Goliat. La especie más grande, Goliathus regius, puede alcanzar 5,9 pulgadas (15 centímetros) de largo y 3,9 pulgadas (10 cm) de ancho. Pueden pesar más de 3,5 onzas (100 gramos), aunque solamente alcanzan este peso en las primeras etapas de su vida.

**Páginas 6–7**

**Los escarabajos Goliat viven en África.** La mayoría de los escarabajos Goliat se encuentran cerca del ecuador. Usualmente construyen sus hogares en las selvas tropicales y bosques pluviales. Estos hábitats tienen solamente dos temporadas, una húmeda y otra seca. Una especie de escarabajo Goliat se ha adaptado a la vida en los bosques templados del sur de África. Esta es la especie de escarabajo Goliat más pequeña. Las especies más grandes viven en los bosques pluviales africanos.

**Páginas 8–9**

**Los escarabajos Goliat salen de huevos al nacer.** Pasan por cuatro etapas de vida: huevo, larva, pupa y adultez. La larva gigante de escarabajo similar a una babosa crece rápidamente. Los escarabajos Goliat alcanzan su mayor peso máximo durante la etapa de larva. La etapa de pupa comienza cuando la larva cava bajo tierra y se envuelve a sí misma en un capullo hecho de tierra. En el capullo, se transforma el escarabajo Goliat. Al comienzo de la temporada húmeda emerge como adulto, completamente desarrollado.

**Páginas 10–11**

**Los escarabajos Goliat tienen caparazones coloridos.** El escarabajo Goliat es conocido por su coloración distintiva. Esta coloración está compuesta principalmente por parches nítidos en negro y blanco, aunque el marrón también es común. Un par de alas duras llamadas élitros conforman la mayor parte del caparazón colorido del escarabajo Goliat. Estas alas no las utilizadas para volar. En su lugar, protegen el cuerpo del escarabajo y a un segundo par de alas que se encuentran debajo.

**Páginas 12–13**

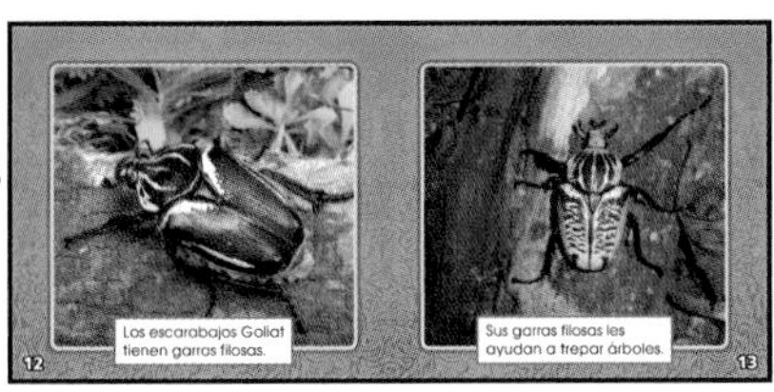


**Los escarabajos Goliat tienen garras filosas.** Cada una de las seis patas de los escarabajos Goliat termina en un par de garras filosas. Estas garras se llaman tarsos. Los tarsos son muy fuertes y ayudan al escarabajo Goliat a agarrarse de árboles y otras plantas de gran tamaño. Esto permite que el escarabajo Goliat pueda trepar en busca de alimento. Los escarabajos Goliat adultos pasan la mayor parte de su tiempo trepando árboles.

**Páginas 14–15**

**Los escarabajos Goliat vuelan con sus grandes alas.** El escarabajo Goliat tiene alas más grandes que las de los gorriones. Los escarabajos Goliat mantienen estas alas dobladas debajo de los élitros cuando no están en uso. Cuando el escarabajo vuela, las alas se despliegan y se extienden hasta 8 pulgadas (20 cm) de ancho desde la punta de un ala a la otra. Las alas son flexibles y usualmente de color negro.

**Páginas 16–17**

**Los escarabajos Goliat tienen cabezas puntiagudas.** Los machos y las hembras tienen diferentes formas de cabeza. Las hembras tienen una cabeza en forma de cuña que usan para cavar hoyos en el suelo. Los hoyos son utilizados para poner huevos. Los machos, en cambio, tienen cuernos en su cabeza. Los cuernos en forma de "Y" son utilizados para pelear con otros machos por territorio y con fines de emparejamiento.

**Páginas 18–19**

**Los escarabajos Goliat comen savia de los árboles y frutos.** Comen una variedad de plantas que encuentran en su ambiente natural. Sin embargo, prefieren los alimentos dulces como la savia de árboles y frutos. En la etapa de desarrollo de larva, los escarabajos Goliat necesitan muchas más proteínas en su dieta que otros tipos de escarabajo. Las personas que crían escarabajos Goliat a veces alimentan a las larvas con alimento para gatos o perros ricos en proteínas.

**Páginas 20–21**

**Los escarabajos Goliat rompen plantas muertas.** Los escarabajos Goliat cumplen un rol importante en su ecosistema. Los escarabajos Goliat son detritívoros. Esto significa que comen plantas y frutas muertas y en descomposición. El cuerpo de los escarabajos Goliat digiere su alimento y produce desperdicios ricos en nutrientes. Esto ayuda a devolver nutrientes al suelo, lo que a su vez ayuda al crecimiento de las plantas y mantiene el ecosistema saludable.

# ¡Visita www.av2books.com para disfrutar de tu libro interactivo de inglés y español!

## Check out www.av2books.com for your interactive English and Spanish ebook!

1. **Entra en www.av2books.com**
   Go to www.av2books.com

2. **Ingresa tu código**
   Enter book code

   M127366

3. **¡Alimenta tu imaginación en línea!**
   Fuel your imagination online!

**www.av2books.com**

Published by AV$^2$ by Weigl
350 5$^{th}$ Avenue, 59$^{th}$ Floor New York, NY 10118
Website: www.av2books.com www.weigl.com



Library of Congress Control Number: 2014932953

ISBN 978-1-4896-2084-2 (hardcover)
ISBN 978-1-4896-2085-9 (single-user eBook)
ISBN 978-1-4896-2086-6 (multi-user eBook)

Printed in the United States of America in North Mankato, Minnesota
1 2 3 4 5 6 7 8 9 0 18 17 16 15 14

032014
WEP280314

Project Coordinator: Jared Siemens
Spanish Editor: Translation Cloud LLC
Art Director: Terry Paulhus



Photo Credits
Frantisek Bacovsky: 4, 8, 10, 11, 12, 13, 16, 19; Thomas Winkler: 9; Corbis Images: 14; Getty Images: 3, 6, 20; Alamy: 18.